ि[illegible]

की बात कलम की

जुबां

गीत, ग़ज़ल एवं
मुक्तकों का संग्रह

मेवालाल गुप्ता

notionpress.com

INDIA · SINGAPORE · MALAYSIA

ISBN 979-8-88555-999-7

अंतर्वस्तु

लेखक परिचय

नामः मेवालाल गुप्ता

जन्म: ११ सितम्बर, १९४३, दोहरीघाट (जि. मऊ), उत्तर प्रदेश

बचपन से ही साहित्यिक अभिरुचि, कविता, गीत ग़ज़ल लेखन इनका शौक है। यौवन काल में वायु सेना के माध्यम से देश की सेवा करने का सौभाग्य प्राप्त कर चुके मेवालाल गुप्त, सेवा के दौरान रक्षा पदक एवं संग्राम पदक से भी सम्मानित हुए हैं। गीत, ग़ज़ल, कहानी एवं मुक्तक के माध्यम से अपने विचारों को आसान शब्दों में पिरोना इनका शौक है।

गीत १
जिस पनघट पर थी टूट गयी

जिस पनघट पर थी टूट गयी,

कमजोर मुसाफिर की गागर।

पानी भरने ईक पनिहारिन

अकसर आजाया करती है।

जब होती है रंगीन सुबह,

कुछ हलचल रहती गली-गली।

व्याकुल भौंरे के सीने से,

लिपटी रहती सुकुमार कली,

सरपर रीता मटका लेकर...

जानेवाली वो पनिहारिन,

बीते दिनकी रंगीन याद,

मृदुलय में गाया करती है। जिस पनघट पर...,

गमगीन शाम की तरह कभी,

गमगीन राह के सीने पर,

गमगीन चाल में जाती है।

गमगीन जिन्दगी जीने पर,

सरपर पानी से भरा घड़ा,
आँखों की रीती गागर ले...,
पनघट के नीचे खड़ी-खड़ी
मुस्कान बुलाया करती है, जिस पनघट पर...,
मदभरी हवायें चलती हैं,
हंसता मौसम का हर कोना।
शबनम से प्यास बुझाती है,
हरियाली क्या जाने रोना?
दिल में जलता अंगार लिये
चेहरे पर रूखा सा बसन्त
दो-चार कदम आगे रख कर
पिछे मुड़ जाया करती है,
जिस पनघट पर थी टूट गयी,
कमजोर मुसाफिर की गागर,
पानी भरने ईक पनिहारिन,
अकसर आ जाया करती है।

गीत २
अभी अरमान बाकी है

यह उपवन की निर्ममता है और फूलों का अल्हणपन है

इन वायु झकोरों के शर में कलियों का भोला बचपन है,

जिसमें जल काला हुआ भ्रमर वह धोखा था, कुछ प्यार नहीं,

उल्फत की मन्जिल सचमुच में, इस पार नहीं, उस पार नहीं,

जला मजनूं जली लैला, जले फरहाद और शीरी,

जले लाखों, मगर लाखों अभी इन्सान बाकी हैं। अभी अरमान बाकी है।

नहीं नजरें चलाओ औ न भोले से यूं मुस्काओ,

हमारी दिल की दुनिया में, नहीं यूं आग बरसाओ,

हमारा खून लो, सिंदूर से क्या माँग भरती हो?

मरूंगा चैन से तुम कह दो मुझको प्यार करती हो।

तुम्हारी एक चितवन में भरा है स्वर्ग का अमृत,

तेरे स्वर में हमारी मौत का सामान बाकी है।...अभी अरमान बाकी है।

काँप रही है वाणी मेरी, रोती भाव तरंगें,

विरह तुम्हारा मुझे जलाये जैसे दीप पतंगे,

आँख देखना भूल गई, और सीख गई है रोना,

दिल की धड़कन नहीं चाहती भार सांस का ढोना,

सजा देगा मेरी दुनिया,नहीं बिल्कुल मिटा देगा।

कभी तो आएगा एक मनचला तूफान बाकी है। अभी अरमान....बाकी है।

सुबह-शाम करता हुँ मैं तो,रो-रो तेरा किर्तन,

तुझमें घुल-मिल जाना चाहुँ, तुम हो मेरा जीवन,

याद हमारी चाह रही तेरे उलझन में खोना,

आहें मेरी माँग रही हैं, तेरा रूप सलोना।

तेरे पग के घूंघरू में,मेरे मन की झनकार कहे,

तुम थकी छेड़कर तान, मगर एक तान बाकी है।.......अभी अरमान.......
बाकी है।

गीत ३
सावन तो आ गया...

सावन तो आगया, बताओ तुम कब आओगी?

नाचा मोर, पपीहा बोला,

विरही का आकुल मन डोला,

कोमल कलियों ने भौरों हित,

अपनी चटक, चुन्दरी खोला,

तुम अपनी प्यारी चुनरी, कब तलक बचाओगी?

सावन तो आगया, बताओ तुम कब आओगी?

हरे-हरे पत्ते उग आये,

बागों में बहार मुस्काये,

पर मेरे इस सूने दिल में,

अंधियारे बादल घिर आये,

उस पर अपने प्यार की किरनें, कब चमकाओगी?

सावन तो आगया बताओ तुम कब आओगी?

आँसू मेरे छाये बादल बनकर,

श्याम घटायें नाच रहीं, बन-ठनकर,

प्यास बुझाता है प्यासी धरती की निशिदिन,

प्यारा मेंहा जलकण मुकुट पहन कर,

मेरे अरमानों की कबतक प्यास बुझाओगी?

सावन तो आगया, बताओ तुम कब आओगी?

गीत ४
साजन दीप जलाऊँ कैसे?

साजन दीप जलाऊँ कैसे? तुम बिन सब अंधियारा है।

चमक रहा है घर और आंगन

किलक रही सब आज सुहागन

विहंस रही है रात अमा की,

मणिधर से लिपटी ज्यों नागन,

मै तो हूं विरहिनी लता प्रिय कोई नहीं सहारा है

साजन दीप जलाऊँ कैसे? तुम बिन सब अंधियारा है।

शाम हंसी धरती मुस्काती

सखियां हौले-हौले गाती,

कोई मन की थाल सजाकर

अरमानों का दीप जलाती

आंसु मेरे रूके न प्रियतम आंचल भींगा सारा है,

साजन दीप जलाऊँ कैसे? तुम बिन सब अंधियारा है।

सभी जलायें दीप मिलन के।

मेरे जलते दीप नयन के,

मंजिल पर राही पहुंचेगा

देखो कितने पायल छमके,

मैं राही की बाट जोहती, जिसका दूर किनारा है

साजन दीप जलाऊँ कैसे? तुम बिन सब अंधियारा है।

गीत ५
ऐ मालिक तेरी दुनिया

ऐ मालिक तेरी दुनिया हमें जीने नहीं देती।

दिल तो रोता है रात दिन अपना

ढूंढता है कोई, खोया सपना।

जिन्दगी आंसूओ में डूबी है

चेहरा हंसता है, यही खूबी है।

जहाँ में सिर्फ आह पाया है

आसमां नें मुझे बुलाया है।

चाहती तो हुँ हर घड़ी वहाँ जाना लेकिन

कैसे जाऊँ जहर दो घूंट भी पीने नहीं देती, ऐ मालिक तेरी दुनिया.........

खुद हैं झूठे किसी की क्या मानें?

इनको अपनी लगी, ये क्या जाने!

इन्होंने जिन्दगी में आग दिया।

याद रखने के लिये दाग दिया।

दिल जो रोये गुनाह कहते हैं।

चेहरा हंसदे तो, वाह कहते हैं।

चाहती तो हूँ मेरा दिल नहीं रोये, लेकिन

कैसे मुस्काऊँ, कि ये जख्म भी सीने नहीं देती, ऐ मालिक तेरी दुनिया.....

मुझे ये जिन्दगी आजार बनी,

मैं तो चलती हुई बाजार बनी,

मौज ही जिन्दगी कि साहिल है।

दर्दे दरिया ही मेरी मंजिल है।

लोग हंस-हंस के फिदा होते है।

टुकड़े जब दिल के जुदा होते है।

जमाना मुझको शमा कहता है।

दिलमें लेकिन अंधेरा रहता है।

चाहती तो हुँ रहे दिलमें उजाला लेकिन,

मेरी हसरत को चार लम्हें भी, जीने नहीं देती...,

ऐ मालिक तेरी दुनिया हमें जीने नहीं देती।

गीत ६
आज कुछ गीत गुनगुनाऊंगा।

आज कुछ गीत गुनगुनाऊंगा।

आपके दर पे घर बनाऊंगा।

शाम कुछ दिन से मुझसे रूठी है,

सांस की चाल बड़ी झूठी है।

चन्द गिनती में मुझको लूट गये,

जाम छूआ तो प्याले टूट गये;

जीस्त को रोने की आवाज दिया;

एक ठुकराया हुआ साज दिया;

आपकी याद जब भी तेज रही;

जिन्दगी दर्द से लबरेज रही;

आपकी राह में आने न दिया।

पांव की धूल उठाने न दिया॥

शिकायतें करूं बयां क्या क्या?

हमसे करता है ये जहां क्या-क्या?

शेख ने कल मुझे समझाया था;

बड़ी लम्बी डगर बताया था।

खुदा से मिलने की उम्मीद नहीं।
आप ठुकरायेंगे उम्मीद सही।
विरानी मुझको घेर लेती है।
बहार आँख फेर लेती है।
जहां भी जाता हुँ ठोकर मिलते।
हार नफरत के पिरोकर मिलते।
कली कुछ ऐसे बहक जाती है।
जीस्त में आग महक जाती है।
दिल की जलती मशाल लाऊंगा,
आपको रोशनी दिखाऊंगा,
कोई लय का तुफान आया है।
आज कुछ गीत गुन-गुनाऊंगा।

गीत ७
शान्त रहता है किसी की याद में

शान्त रहता है किसी की याद में,
घाट पर बैठा है पत्थर आज भी।
जैसे कोई लीन हो, तप में तपस्वी,
मनन-चिन्तन कर रहा कोई मनस्वी।
रहता है निष्काम, रह कर कर्म रत,
है अटल निज लक्ष्य पर हो धर्म रत,
चाहे आंधी आये या जलती हवा,
यह तो सुख-दुःख से परे है फर्क क्या?
अबतो अपनी देह गैरों के लिये,
दान कर बैठा है पत्थर आज भी
शान्त रहता है किसी की याद में,
घाट पर बैठा है पत्थर आज भी।
भोर आया, वायु सुरभित आगई।
सांस में, आभिसारिका सी छा गई,
कितनी मैना, गीत सी गाती हुई
रवि किरन के साथ शरमाती हुई

घाट पर आयीं नहाने के लिये
औ नहाकर लौट जाने के लिये
ऐसी ही आई थी, मैना एक दिन;
कर गई बेचैन मैना एक दिन;
दिल कुचल कर रख दिया पाषाण का
है बदन पर, चिन्ह जिसके बाण का
आयेगी करने कभी शायद दवा
मानकर, बैठा है पत्थर आज भी
शान्त रहता है किसी की याद में
घाट पर बैठा है पत्थर आज भी।
पहले कम्पन थी कोई अरमान था,
गीत बरसता यहां तूफान था,
अबतो दिल की धड़कने सी बन्द हैं।
गर्म रग की फ़ड़कने सी बन्द हैं,
जब कोई यादों का झोंका आ गया,
स्मृति पट पर रोशनी बिखरा गया,
लहरों की सरगम पे जी बहला लिया,
विरह मिश्रित गीत कोई गा लिया,
दिल की धड़कन अन्त में रूक जायगी
जानकर बैठा है पत्थर आज भी
शान्त रहता है किसी की याद में
घाट पर बैठा है पत्थर आज भी।

ध्यान में बैठा यहाँ योगी कोई,
भोग में भूला हुआ भोगी कोई,
भस्म बन लिपटी बदन में बालुका।
वृध्दि कर देती, जलन में बालुका।
होली सरसाते यहाँ सावन के घन,
प्रीत बरसाते यहाँ सावन के घन,
शीत ऋतु में नव विहग आकर यहाँ,
नाचते हैं प्रीत में गाकर यहाँ,
लय में जो घुल जाय ऐसा सुर कोई,
तानकर बैठा है पत्थर आज भी,
शान्त रहता है किसी की याद में,
घाट पर बैठा है पत्थर आज भी।

गीत ८
होठों पर मुस्कान नहीं है,

होठों पर मुस्कान नहीं है,
दिल में कुछ अरमान नहीं है।
किसके बल पर जी पाऊँ मैं,
जीने का सामान नहीं है।

चांद किरन देती है पीड़ा,
कैसे हो सखियों से क्रीड़ा।
सारे स्वर बिखरे हैं, मैं तो,
टूटी हुई अभागिन वीणा,

सांसे सब वीरान हो गई,
अन परिचित मुस्कान हो गई,
अब बसन्त की दुनिया,
मेरी दुनिया में तूफान हो गई,

रातें सब सूनी-सूनी है,
आँखों से वर्षा दूनी है,
बस तेरी पग धूल मेरे पिय,
मरने के पहले छूनी है।

दरवाजे के पास खड़ी हूँ,
लिये मिलन की आस खड़ी हूँ।
दुनिया अर्थी सजा रही है,
मैं ऐसी निःश्वास पड़ी हूँ।

कभी आह बस भर लेती हूँ,
आंचल को तर कर लेती हूँ।
आस-निरास मिलन की लेकर,
जी लेती हूँ, मर लेती हूँ।

फूलों का मैं हार बनाती,
उसमें अपना प्यार सजाती,
लेकर बाट देव की जोहूँ,
अर्पण का अधिकार न पाती,

कभी घाव सहला लेती हूँ,
जी थोड़ा बहला लेती हूँ,
मन-मन्दिर में तेरी छवि को,
आँखों से नहला लेती हूँ,

नदी नहाने सखियां जाती,
हंसती बलखाती, ईठलाती,
मैं भी लीन याद में तेरी,
जैसे-तैसे चलती जाती,

जीवन माया की छाया है,
तेरा दर्द मुझे भाया है,
दिल की जलन बुझाने खातिर,
पीड़ा का बादल आया है,

कोयल जलती बोली लेकर,
गगन प्यार की झोली लेकर।
मुझको पास बुलाया करता,
चांद किरन की डोली लेकर,

तुझ बिन बैरन सभी बहारें,
उपवन, सरिता, कुंज किनारे,
विरहन वन मैं तुझे बुलाऊं,
अब तो आओ नाथ हमारे।

गीत ९
विहंसता होगा सारा गांव

विहंसता होगा सारा गांव,
विहंसती होगी ज्योति कतार,
पियाकी सुधि में हो लवलीन,
खड़ी होगी गोरी उस पार,

आंख नम हो जाती होगी,
देख कर सूनी सूनी राह,
निकलती होगी बारम्बार,
ह्रदय से जलती-बुझती आह,

देख कर कोई बहता दीप,
धार की शैया पर चुप-चाप,
सजन के धड़कन की क्या हाल,
याद आ जाता होगा आप,

गला होगा शायद रूंधा,
सुनहला आंचल तर होगा,
धड़कने मुर्झायी होंगी,
सांस का लेना भर होगा,

देख सखियों का हंसी किलोल,
जाग जाती होगी पीड़ा,
नहीं वादक है मेरा हाय,
अभागिन में कैसी वीणा,

सोचती होगी कोई बात,
हाथ में ले पूजा की थाल,
अश्रु हो जाते होंगे तेज,
न उठ पाती होगी जयमाल,

अमाँ की अंधियारी यह रात,
डंस रही होगी बन नागन,
कहीं बैठी होगी, तुम शान्त,
और सूना होगा आंगन।

गीत १०
ह्रदय जलता मेरा दिन-रात

ह्रदय जलता मेरा दिन-रात,
प्रिये! तब विरह ज्वाल के बीच,
बढाता हुँ, जिसकी मैं ज्योति,
नयन के निर्मल जल से सींच,
याद मत करना मेरी व्यर्थ,
जलाकर अंगनाई में दीप,
शिखा में जलता होगा ह्रदय,
प्रिये मम तेरे सदा समीप,
दिवाली की सन्ध्या के समय,
खड़ी हो दरवाजे के पास,
देख कर जगमग ज्योति,
लगाना मत मिलने की आस,
नहीं है ये दीपों की माल,
जल रहे मम दिल के टुकड़े,
हवा के हर झोंके पर कांप,
कह रहे होंगे निज दुखड़े,

मगर यह बात नहीं कुछ ठीक,
दीप की यह स्वर्णिम जयमाल,
देख प्रेयसि तेरी सखियां,
हुई प्रिय बाहों में खुशहाल,
हाल कुछ तेरी और परन्तु,
याद मेरी करके होगी,
बाट देखोगी जोगन बनी,
न आयेगा कोई जोगी,
देख कर कोई बुझता दीप,
किसी जर्जर से भी बलहीन,
याद कर लेना मेरा ह्रदय,
हो रहा जो उससे भी क्षीण।

गीत ११
अब विरह सहने की कुछ हिम्मत नहीं

अब विरह सहने की कुछ हिम्मत नहीं,
स्वप्न में आकर प्रिये कुछ बात करलो,
दिन बहुत बिते अकेले व्यर्थ सब।
रह गई हैं गिनके घड़ियां चन्द अब।
भागतीं हैं दूर ये भी अनवरत।
अब नहीं आयी तो फिर आओगी कब?
शेष हैं अब भी जो जाने के लिये,
वो दुःखी रातें सुनहली रात करलो,
अब विरह,सहने की..........
अब न आँखों में नमी कुछ रह गई।
बन सलिल की धार आशा बह गई,
प्रेम का बिरवा है मुरझाया हुआ।
साध इसकी सब अधूरी रह गई,
अब भी आशा है कि ये खिल जायेगा,
हो सके तो प्रेम की बरसात करलो,
अब विरह सहने की..........

है व्यथित पीड़ा से, दिल कमजोर है,

भाग्य पर किसका मगर कुछ जोर है,

ढुंढती है आंख कोई रोशनी,

घोर अंधियारा मगर हर ओर है।

ज्योति इन आँखों को मिल जाये अगर,

आंख से आंखे मिला कुछ घात कर लो,

अब विरह सहने, की..........

शान्त निर्जन सा तुम्हारी याद में,

मग्न हूं मैं विरह के अवसाद में,

देखके कहती है दुनिया बावरी,

श्वास अंटकी है मरन के बाद में,

मैं ये समझूंगा मेरे खुशियों की है,

तुम जो मेरे अर्थी की बारात करलो,

अब विरह सहने की.......

गीत १२
देखो महफिल में संवर के बहार बैठी है

देखो महफिल में संवर के बहार बैठी है,

पायें घुंघरू में छमक की कतार बैठी है,

हसीनों की नजर का दोष नहीं,

आपकी ही नजर खामोश नहीं।

मेरा खयाले दिल बताता है,

कोई कांटा उसे सताता है,

देखिये हमपे बीतती क्या है?

बज्में शहनाई खींचती क्या है?

उनकी हरकत में बला की ताकत,

भुलाना खुद को, ये मेरी आदत,

निगाहें नाज कोई बिजली हैं,

या कि जन्नत की परी निकली है।

दिवानें उनके एहसामन्द हुए,

दैरो काबा अगरचे बन्द हुए,

किस्सा ये मौत उसने रोक तो दी।

बिजली गिरनी थी, उसने टोक तो दी,

शेख जी आज आप भी आओ,
अपनी हसरत को यूं न तरसाओ,
खुदा के घर हमें भी जाना है,
उसका कोई नहीं बहाना है।
शमा ये रो के अर्ज करती है।
दिल में हर बात दर्ज रहती है।
दिल के जज्बात न उभरे कैसे,?
हादिसे ग़म के, न गुजरें कैसे,?
यहाँ कोई पनाह पा न सका,
खुदा के घर से कोई आ न सका,
हसरतें दिल में बड़ी बेशुमार बैठी है,
कोई भूली हुई दिल में खुमार बैठी है।
पाये घुंघरू में छमक की कतार बैठी है।
देखो महफिल में सवर के बहार बैठी है।

चुनावी-गीत १३
देखो तो कैसा रंग ये लाया है ईलेक्शन

देखो तो कैसा रंग ये लाया है ईलेक्शन,

फिर पांच वर्ष बाद ये आया है ईलेक्शन,

दिन-रात देखो प्रेस में पर्ची की धूम है,

हर मोड़ हर गली पे सभा का हूजूम है,

चिल्लाता गला फाड़ के भौंपू है रात-दिन,

हर गाँव में गाते है प्रचारक भी ताक्-धिन्,

झन्डे नये निशान नये पैदा हो गये,

जनता को लुभाने के लिये शैदा हो गये,

भाषण का गजब चंग बजाया है ईलेक्शन,

फिर पांच वर्ष बाद,ये..........

झुन्नन मियां के पांव पे गिरते हैं सिंहजी,

कहते हैं अपनी आन मियां तुझको सौंप दी,

हम तो ख़ड़े हुए हैं, तुम्हारे ही आसरे,

कहते हैं हाथ जोड़ के, नेता शिवासरे,

जनता को अपने हक में मिलाने चले हैं आज,

कहते है प्रजातन्त्र जिसे जनता का है राज,

जनता को सही राजा, बनाया है ईलेक्शन,
फिर पांच वर्ष बाद,ये......
कहता है साम्यवाद को कोई खरी खोटी,
छीने है पुंजीवाद भी गरीब की रोटी,
समाज वाद करता है बेकार में हल्ला,
चमकाना चाहता है झूठ-मूठ में गोटी,
भाषण में विरोधी को सुनाते सदा गाली,
अच्छे विचार खो गये, दिमाग है खाली,
बरसात शिकायत की बुलाया है ईलेक्शन,
फिर पांच वर्ष बाद,ये.........
पिलाओ सबको चाय, कहते हैं उम्मीदवार,
पुड़ी खिलाके जनता को जताओ अपना प्यार,
रेवड़ी से भर दो दीन अबोधों का मुंह पेट,
आंधी की तरह, वोट को लायेगा वह झपेट,
पैसा लूटा के खोट जी कुर्सी पे जा पड़े,
सब लोग देखते हैं उनका मुंह खड़े,
अचरज भी कई ढंग के लाया है ईलेक्शन,
फिर पांच वर्ष बादये आया है ईलेक्शन।

गीत १४
भोर की बेला

प्रिये! ये झूम रहे हैं फूल,
बुलाते हैं भ्रमरों को पास,
बुझाना है इनका उद्देश्य,
लगी है इन्हें प्यार की प्यास,
नशीली है इनकी मधुगन्ध,
रोक देती राही की चाल,
हृदय में भर देती गुंजार,
भुला देती अपने का ख्याल,
मचलते ले अंगड़ाई यूं
कि जैसे गोरी पीहर जाय,
कभी छुपते पत्तों के बीच,
कि गोरी घूंघट में शरमाय,
खोल कर पंखुडियाँ चुप-चाप,
खेलती हैं सखियों के साथ,
पूछती अपने में सखि बताऽ,
चूमता कौन तुम्हारा माथ,?

बताती है बेला की कली,

रात भर व्याकुल रहती हुँ,

सजा करती हुँ हर भिनुसार,

मिलन को आकुल रहती हुँ,

कमलिनी बोली की सखि हाय,

मेरे प्रियतम का क्या कहना,

विहंसता नीले अम्बर बीच,

पहन कर तारों का गहना,

शान्त है वातावरण समस्त,

गूंजता है चिड़ियों का शोर,

मिलूंगा कलियों से कुछ बाद,

कह रहा जाते-जाते भोर।

गीत १५
मेघ से सन्देश

कहती हूँ दिल की बातें,
साजन से जाकर कहना।
पिय की नगरी से बादल,
कुछ धीरे धीरे बहना,
थोड़ा सा तुम रो देना,
कहना ऐसे रोती हूँ,
नयनों की गंगाजल से,
तेरी मूरत धोती हूँ।
धोने से जो मिलता है,
बस उस जल को पिती हुँ,
अन्दर से बिल्कुल मरी हुई,
बस बाहर से जीती हुँ,
जब-जब सावन ने झांका,
सुधियों ने ली अंगड़ाई,
मैं कितना सगुन निकाली,
पर पाती एक न आई।

आती जब शाम नशीली,
सखियों का मन भर जाता,
इन आँखों के कोने से,
खारा सा जल झर जाता।
लेकर मीठा गंगाजल,
तुलसी का विरवा सींचू
सांवरी-सलोनी मूरत,
मानस पट उपर खींचू
सूरज की तीखी किरणें,
जो उसका अंग जलायें,
कहना मेरे साजन को,
वे शीतलता पहुँचाये,
विरहा की पापिन अग्नि,
नित उसको देती पीड़ा,
अब गीत नहीं वो गाता,
टूटी है उसकी वीणा,
ज्योंहि साजन की नगरी,
आये तेरी छाया में,
चाहे दुनिया सोती हो,
निरवता की माया में,
तुम एक दृष्टी नगरी की,
पगडन्डी पर फैलाना,

41

होगा जरुर वह बैठा,

कहना मत उसे दिवाना,

मुख किये ईधर बैठा था,

भींगे थे उसके नैना,

तेरे साजन को देखा,

कहती थी मुझसे मैना,

जब तुमको वो मिल जाये,

कह देना दिलकी बातें,

अक्सर रोकर हैं कटती,

तेरे विरहिन की रातें,

ज्यादा तर दूर नयन से,

निदियां उसकी होती है,

शायद सपनों में आओ,

बस इसी लिये सोती है,

सुनती हुँ मृत्यु है आती,

तेरे रस्ते से होकर,

यदि मिल जाये तो कहना,

मेरे शुभचिन्तक होकर,

ईक विरहिन बोल रही थी,

पहले मुझको ले जाये,

पर उसे छोड़ना होगा,

जब उसका साजन आये,

भेंजू गुलाब की खुश्बु,
उसकी सांसे बन आना,
हे मित्र और कुछ रुक कर,
इसका भी पता लगाना,
सुरभित गुलाब की सुखकर,
मृदु वायु कहाँ जाती है?
नित उसकी राह देखती,
वह नहीं यहां आती है,
इतनी सारी कह डाली,
फिर भी रह गई अधूरी,
बिछड़ों के मन की बातें,
होती न कभी भी पूरी,
बस इतना ही कह देना,
क्योंकि मुझको है संशय,
उठकर न कहीं वो चल दे,
पीड़ा का खोज समन्वय।

गीत १६
सुख-दुःख की है आंख मींचौनी

सुख-दुःख की है आंख मींचौनी,
कहते हैं हम जिसको जीवन,
रहे न हर दम घटा सावनी,
रहे न हर दम रुखा मौसम,
कभी विरह की वीणा रोती,
हंसती कभी मिलन की सरगम,
आज मृत्यु का गीत प्रकम्पित,
कल मुखरित पायल की छम-छम,
सुख-दुःख की है, आंख मींचौनी
रोयेगा कल रुखा पतझड़,
ले ले करके ठंडी आहें,
याद करेगा क्षीण बुढापा,
यौवन को फैलाकर बाहें,
सुलझा सुलझा थक जाओगे,
दूर न होगी सुलझन उलझन,
सुख-दुःख की है, आंख मींचौनी

आज सजी है नई नवेली,

कल जाने क्या होने वाला?

किसको मोती मिल जायेगा,

किसका मोती खोने वाला,

सब चुप होकर सहना होगा!

बंधा हुआ है जब तक बंधन,

सुख-दुःख की है, आंख मिचौनी,

कहते हैं हम जिसको जीवन।

गीत १७
अगर मर कर जीने की चाह

न है तृष्णा का कोई अन्त,

न आशाओं का कोई छोर,

निराशा की जब उठती सांस,

उमड़ पड़ते बादल घनघोर,

प्यास की सीमा अपरम्पार,

किनारे भी रहते अतृप्त,

भंवर की रहती ऐसी भींड़,

न रह पाता जीवन निर्लिप्त,

पकड़ लो धीरज की पतवार,

उतर जाओगे शायद पाऽर,

छोड़कर यह सम्बल अनमोल,

डूबना पड़ता है, मंझधार,.........,

सांस की टूटी-फूटी नांव

नांव पर सारा जीवन भार,

बन्द करने को जीवन पृष्ठ,

खड़ी है, बांहे मृत्यु पसार
अगर मर कर जीने की चाह,
छुपी है तेरे अन्तर बीऽच।
लगाकर अमर ज्ञान की बेल,
परिश्रम की गंगा से सींच।

गीत १८
कुछ याद नहीं

कुछ याद नहीं, कब खाया था,
ताजे हैं दिल के घाव अभी।
मंजिल का पता बताया था,
जिन हाथों ने वो आज नहीं,
जो सुनकर वो आ जाते थे,
खो गये प्यार के साज कहीं,
जिन गलियों में मुस्काये थे,
वो पहले पहले देख मुझे,
एक युग बीता, हैं याद मुझे,
वो गलियों वाला गांव अभी।
कुछ याद नहीं, कब खाया था.......

तड़पन दे पतझड़ बीत गये।
आहें उदास, बेदर्द, शाम।
मधुऋतु ने गम के दिये मुझे,
टूटे प्यालों में भरे जाम।

जिसके निचे वो बैठ कभी,
आँखों से जाम पिलाते थे,
निर्दोष बिचारे बरगद की,
रोया करती है छांव अभी।
कुछ याद नहीं, कब खाया था........
चलने की आदत सिर्फ मुझे,
उनकी मंजिल ने सिखलाया,
जब भी थककर टुक बैठ गये,
आगे मृग तृष्णा दिखलाया,
चलते चलते युग बीत गये,
अब तक मुझको मंजिल न मिली,
शायद अब मंजिल मिल जाये,
कहते चलते हैं पांव अभी,
कुछ याद नहीं कब खाया था,
ताजे हैं दिल के घाव अभी।

गीत १९
नियराईल साजन के गांव

नियराईल साजन के गांव रे सजनी, नियराईल, साजन के गांव

भोरे में उठलीं बनवलीं कलेवा,

पनियां से सींचि कईलीं तुलसी के सेवा।

घरवा बुहरलीं अंगना बुहरलीं।

सुरुज के समने अंचरा पसरलीं।

सिरवा नवा उनसे मंगलीं मंगनवां।

देत रहिअ रहिया में छाँव रे।

नियराईल साजन क गांव रे सजनी। नियराईल......

सखियां सहेलियन से मिलि बतीअवलीं।

हियरा क दुःखवा रो-रो सुनवलीं।

अंचरा के टोंगे से अईया क,मईया क॥

लिहलीं असिसवा सुहागिन कहईलीं।

रोवेला जियरा तड़पेले छतिया।

ना भूले संखियन के नांव रे। नियराईल साजन क गांव।

नियराईल साजन क गांव रे सजनी।

जाये के ना मन करे।

थर थर बदन करे।

बिरन क देखि मुंह।

जियरा रोदन करे।

चाचा छोड़ावेलं गोड़वां मों भेंटेलीं।

मनवां में रहि रहि इहवे मों सोचेलीं,

आईल ई कईसन निदर्दिन समईया,

छोड़वलस बहिनियन क गांव रे।

नियराईल साजन क गांव रे सजनी।

रहिया में रहलीं न भुखिया जनाईल।

अंखिया से डरि के पियसिओ न आईल।

कुछ ना बुझाईल ई धुपिया बतसवा।

संझिया चलल लाल भईल अकशवा।

जिनगी की डोलिया पर चललीं बइठिके।

थाकल जिनिगियो क पांव रे,

नियराईल साजन क गांव रे सजनी।

जहवां जनम भर खेललीं आ खईलीं।

जहवां क बहिन आ बेटी कहईलीं।

जहवां क हमके खेलवलस सवनवां?

बगियां में झुलवा झुलवलस पवनवां।

उहवों से गईलिं निकारल पकड़ि के।

आपन भुला गईलीं ठांव रे।

नियराईल साजन क गांव रे सजनी। नियराईल..........

गीत २०
आईल बसन्ती बयार

सून बाटे कहिया से मन क भवनवां,

दरशन क प्यास लेके जोहे नयनवां,

आईल बाऽ पुरुब से शीतल पवनवां,

कहत बा लेवे के तुहरो गवनवां,

लेके करेजवा में सुख क सपनवां,

आवेलं साजन तुहाऽर, हो सखि आईल, बसन्ती.........

डूबलीं सनेहिया में खेतवन के रानी,

सड़िया पहिरि के सरसो सयानी,

बुटवन से पियर अंचरवा देखावें,

साजन से हंसि मिलि रतियां बितावें,

एतने में लूटत नयन क सपनवां,

आईल चटक भिनुसार, हो सखि आईल,

तुहरो निर्मोही आज अईहें दुअरवां,

भिजिहें पिरितिया में सूघर अंचरवा,

नीक लगी मन के महल अईसन घरवा,

कोयल के कूक लगी मीठा जहरवा,

अमवां बऊरलं सरसो फूलईलीं,
कलियन पर दउड़ल तितलियाअईलीं,
नये नये फूलवन से नई नई पतियन से,
बगिया स कईलीं सिंगार हो,
सखि आईल बसन्ती बहार,
चमकेला सखि जब गोरहर सबेरवा,
छोड़ें चहंकि जब पंछी बसेरवा,
सरयू के गोदिया में ले-ले डुबुकिया,
तुहरे विदईया में दे-दे सुबुकिया,
उपर अकशवां गोसईयां के ताकिलांऽ,
अमर सुहगवा हो सरजू से मांगिलां,
तुहके ललनवां दे सूरज से सखि हम,
मांगिलां, अंचरा पसार हो,
सखि आईल बसन्ती बहार।

गीत २१
फिर भी तुमको पा न सका मैं

जिसे प्यार से मैंने पाला,
वह जीवन तुमको दे डाला,
जो नजरें दिन-रात जलातीं,
समझूं उन्हें सुधा का प्याला,
तेरी मुस्कानों की लौ पर,
जलता मेरा दिल पतंग है,
फिर भी मजा लिये जाता है,
उल्फत का यह अजब ढंग है,
इस राह में केवल चलना है,
विरहा की आग में जलना है,
सारे जग को समझाता था,
पर खुद को समझा न सका मैं,
फिर भी तुमको पा न सका मैं,
मैंने गीत लिखा फूलों पर,
जिनका भाव यही रहता था,
मुझे प्यार की राह दिखादो,

कलियों से भौरां कहता था,
मंजिल थी, पर राह प्रेम की,
भौंरे को समझा न सकीं वे,
अरमानों की भीड़ हृदय में,
करके जतन बता न सकीं वे,
टूटे-फूटे स्वर में गाकर,
कोई प्यारा साज बजा कर,
सोचा मैं ही बतला दूँ पर,
हार गया बतला न सका मैं,
फिर भी तुमको पा न सका मैं।
सोचा गीत लिखूं लहरों पर,
उल्फत में मजबूरी क्या है?
दरिया के दो तट से पूछूं?
कहो प्यार में दूरी क्या है?
खिलती हुई कली से पूछूं,
तुम किस लिये श्रृंगार कर रही?
बासन्ती कोयल से पूछूं,
किसकी सदा पुकार कर रही?
बार बार सोचा यह दिल में,
पर जुबान तक ला न सका मैं,
फिर भी तुमको पा न सका मैं।
स्वाती बूंद विरह में गीली,

कोयल की वाणी दर्दीली,

स्वप्नों का संसार निराला,

सरसों की वह चूनर पीली,

मनमें मीठा विरह जागाये,

इस विरही का मन तरसाये,

चाह थी गाऊँ गीत मिलन के,

वीणा थी, पर गा न सका मैं,

फिर भी तुमको पा न सका मैं।

गीत २२
देश गीत

है देश हमारा चन्दन बन, क्यों बरसाये आकाश अगन?
सदियों से इसकी आभा पर,
किस अन्यायी की कुटिल द्दष्टी,
लग गई श्राप बनकर यारों, औ,
बरसे बनकर अनल वृष्टि,
झूलसाया किसने मानवता की,
हरी-भरी हंसती क्यारी,
लोगों के जीवन में भर दी,
लप्टों की झंझा दुःख कारी,
छीना हंसता-खिलता सावन,
रौंदा भोला भाला बचपन,
है देश हमारा चन्दन बन,
क्यों? बरसाता आकाश अगन?
यह देव भूमि कहलाती है,
कैसा? यह धोखा, इन्द्रजाल,
दैत्यों ने बनकर देव यहाँ,

फैलाया गहरा विकट जाल,

औरों हित तब्दील नर्क में किया इसे,

अपने हित तगड़ा स्वर्ग निराला ढाला है,

क्या गजब बनाकर रीत यहाँ कुछ लोगों नें,

भारत में फूंकी दानवता की ज्वाला है।

आओ संकल्प करें अब हम,

यह अत्याचार मिटायेंगे,

कुटिल जनों ने जो लादा,

काला आंधियार भगायेंगे,

आओ प्यारे देश बन्धु

हम दूर करें यह कठिन तपन,

है देश हमारा चन्दन बन,

क्यों बरसाये आकाश अगन?

गीत २३
कुतर्क एक हथियार

मानव को करना अगर, चाहो तुम बेकार,

बिना हिचक कुतरक करो, यार धड़ल्लेदार,

यार धड़ल्ले दार, ज्ञान तुम लखो पुरातन,

१६ दुनी आठ है अपना बड़ा सनातन,

देश की सम्पत्ति मंत्र पढ़ो और करदो स्वाहा,

बनो गुलाम विदेशी के, फिर बोलो हा! हा!

बोलो सारी वसुधा है परिवार हमारा,

शूद्रों पर नैसर्गिक है अधिकार हमारा,

शास्त्र की बात देखलो,

हमारी क्या मर्यादा?

कहो कहला दूँ राम से,

करो मत बातें ज्यादा,

विप्र धेनू सुर सन्त की रक्षा करने वाले,

शूद्रों की गरमी को नियम से हरने वाले,

आजकल जगे हुए है,

काम में लगे हुए है,

इसलिये बात मान लो,
अपनी औकात जान लो,
और चुप-चाप रहो तुम,
न तिल भर आह भरो तुम,
तभी कल्यान तुम्हारा,
राम ने है ललकारा।

गीत २४
शब्द महिमा

शब्द का तीर आ रहा देखो,
ढाल शब्दों का बनाकर रोको।
शब्द के जेल में तुम कैद पड़े,
जो तुझे फांसने वालों ने गढ़े।
काट अब तुझको भी बनाना है,
बाण शब्दों का ही चलाना है।
शस्त्र बारीकी से चलाता है,
शास्त्र का जूस भी पिलाता है।
फिर बड़ी, मीठी बात, गढ़ करके,
शब्द के रथ पे आये चढ़ करके।
और तुझे शब्द ही पिलाता है,
काफी मीठा जहर खिलाता है।
अब न ऐसी नादानी करना तुम,
जाल में ऐसे नहीं मरना तुम।
अपने जीवन को न बरबाद करो,
न घर विरोधी का, यूं आबाद करो।
तेरे पुरखों ने क्या दिखाया है?

क्या तूझे ये ही सब सिखाया है?
अपनी दुर्गति में मगन होते हो,
बोझ क्यूं करके जतन ढ़ोते हो?
भार ढ़ोने के लिये जनम लिया?
स्वत्व खोने का सारा काम किया।
हम सही कहते हैं, तो हंसते हो,
खुद ही पिंजरे में जाके फंसते हो।
उतरते चढ़ते सदा बांस पे तुम,
ये है नादानी तुझे क्या मालुम?
तुम्हारी अक्ल जो अनमोल रतन,
उसको लूटा उन्होंने करके जतन।
तुम ने खुद ही खुशी से मोड़ दिया,
अपनी कश्ती गढ़े में छोड़ दिया।
ये बात ठीक नहीं प्यारों सुनो,
माँ भारती के ऐ दुलारों सुनो।
उनके चर्खे से खुद को दूर करो,
ठगों के हौसले को चूर करो।
जगो बेहोशी से तबही ये काम हो पाये,
हमारी चींख सलाटे में नहीं खो जाये।
जगो बहादुरो! कबसे तुम्हें जगाता हुँ,
तुम्हारी राह के रोड़ों को मैं हटाता हुँ।

गीत २५
अपने गांव की याद

स्वर्ग से सुन्दर हमारा गांव है जो,
आज मुझको याद उसकी आ गई है।
याद की दुनिया मेरी, सोई थी जो,
मित्र उसको भावना जगा गई है।
दूर ईतना हूं की शायद अब कभी,
पँहुच पाऊं वहाँ, सशंय युक्त है,
कल्पना जब चाहे, जा बैठे वहाँ,
हाय! यह बंधन से कितनी मुक्त है।
स्वर्ग से तुलना किया करता हूं मैं,
स्वर्ग यूं तो उसके आगे कुछ नहीं,
क्यों कि हम खेलें सदा इस स्वर्ग में,
उस स्वर्ग से जाकर कोई आता नहीं,

दोहरीघाट का चित्रण

पावनी सरयू के दक्षिण कूल पर,
जल के झूले में हवा संग झूल कर,
कर रहा काफी युगों से साधना,

बन महायोगी सभी सुधि भूल कर,
स्वर्ग से बढ़ कर है, यह मेरे लिये,
जिसका कारण है कि इसकी गोद में,
जनम पाया मैंने, औ फूला-फला,
खेलता जग में भरा आमोद में,
दिख रहे प्रत्यक्ष सुधियों की लहर में,
इसकी हर गलियाँ, भवन, हर झोपड़ी,
चह-चहाते खग दिखें, तरू डाल पर,
और सरयू तीर ईक राधा खड़ी,
है मुझे विश्वास उसकी सुन कथा,
तुम स्वयं निज ग्राम में खो जाओगे,
अपने बचपन के सुनहले चित्र से,
व्याप्त हर कोना, गली हर पाओगे,
यद्यपि यह मत, मेरा बस ख्याल है,
दृढ़ता पुर्वक मैं उसे कहता नहीं,
मैं तो बिल्कुल याद में तल्लीन हुँ।
ऐसे में मन होश में रहता नहीं,
मुझको दिवाना समझ करना क्षमा,
यदि तुम्हारे मन को ये भाया नहीं,
पर कृपा कर, ध्यान से साथी सुनो,
गीत मम्, वर्षों से जो गाया नहीं,

भोर की बेला से चित्रण प्रारम्भ,

जब समेट सपनों का जग,
तारों की फुलवारी, बटोर,
रजनी जाती अन्जान नगर,
आ जाता मनभावना भोर,
होता जग सारा सौम्य शान्त,
बरसा करता अमृत नभ से,
चलती सजीवनी मृदुल वायु,
हो ओत-प्रोत, मधुसौरभ से,
मन्दिर प्रिय ध्वनि में गा उठते,
मस्जिद देने लगते अजान,
चूँ-चां, चीं-चां चां में पक्षी,
कहते अब उऽठ, आया विहान,
पुरवा चलती हौले, हौले
जगती का सहलाती कपोल,
रवि किरनें, हसं हसं बिखराती,
जागो- जागो, का मधुर बोल,
कल-कल करती, सरिता के सम,
बन मुक्त हंसी, उन्मुक्त छन्द,
आती गज-गामिनि कामिनियाँ,
पड़ जाती सरि की धार मन्द,
ले-ले कर डुबकी चल-जल में,

आदर में शीश झुकाती हैं,
भगती-चलती अविरल गाति से,
नित –नित जल धार लजाती है,
यह द्दश्य देख सरयू तट का,
मन ईन्द्र पुरी में खो जाता,
हर कोना गलियाँ मधुर मुखर,
आँखों का पानी धो-आता,
उदयाचल में है आम्रकुंज,
अस्ताचल में है नीर-धार,
वह उदय समय, यह अस्त समय,
बिखराते निज शोभा अपार,
गर्मी के दिन में नदी तैर,
पीटें पानी में हाथ-पैर।
रेती पर कभी चले जाना,
चिड़ियों के अन्डे ले आना।
वह याद पड़े अपना गुनाह,
मन मैला कुछ - कुछ होता है।
बेमतलब अन्डे भी फोड़ा,
कर याद बहुत दुःख होता है।
वह बचपन का अल्हड़पन था,
था नई जवानी का मौसम,
उछला कूदा धुम-गजर किया,

आपस में झगड़ा भी हर दम,
फिर कभी देखना नौटंकी,
रातों में नींद न आती थी।
दो-चार कोस हो दूर तो क्या?
कोई लीला छूट न पाती थी।
कितना बतलाऊँ मीत मेरे,
मेले-ठेले भी लगते थे।
हम छोड़ जमाने की चिन्ता,
घूमते रात भर जगते थे।
अब तो बस यादें शेष रही,
काफी दिन से सब बीत गया।
जीवन की सन्ध्या बेला में,
अब गाता साथी गीत नया।
उसमें अल्हड़पन नही मिले,
कुछ खीज ओर कुछ कड़वापन,
थोडा रस भी झर जाता है।
जब याद करूँ, बीता बचपन,
अब छुट्टी लेता हूँ साथी,
मन फिर मेरा भर आया है।
कैसे पहुँचूं मजबूर हुँ मैं,
गो, उसने मुझे बुलाया है।

गीत २६
विनय

हे विश्व प्राण कुछ समझाओ,
मुझको रचने का हेतु मुझे,
तुम निर्माता, तुम कलाकार,
सब कुछ कम है जो कहूँ तुझे।
अणुओं से निर्मित कर मूरत,
चेतना उसे कर दी प्रदान।
सौंपा उसको बन्धन कठोर,
बचने का अति दुर्लभ निदान।
माया का ऐसा चिकना मग,
चंचल मन के कमजोर पांव।
मद-लोभ, काम की कठिन डोर,
औ घृणा द्वेष की धूप-छांव।
बन्धन इतने अदृश्य-सुक्ष्म,
भौतिकता से यूं पगे हुए।
इनके हर एक ईशारे पर,
नाचें विमूढ़ हम ठगे हुए।

भौतिक साधन से ये बन्धन,
नित सत्य भासते और सुप्त।
उस दल-दल में धंस-फंस चेतन,
होता विकार मय और सुप्त।
जड़ पाश बनाकर बांध दिया,
निर्मल-निश्छल यह आत्म शक्ति।
नश्वर मरीचिका में रत कर,
सिखला दी अपने से विरक्ती।
निर्मित कर चित्र-विचित्र पुष्प,
बहुरूप रंग न्यारी-न्यारी,
ओ निराकार, मोहक सुगन्ध, मय
किया सृष्टि की फुलवारी।
पर निखिल विश्व का पट अनन्त,
विकृत धब्बों रिक्त नहीं।
तेरी रचना का कौन बिंदु?
जो सुख-दुःख से अभिसिक्त नहीं।
मात्र एक से सर्जन कर डाला अनेक,
सख्यां अनन्त क्या गिनती, हे रचना प्रवीण।
क्या मन में आया तेरे? हे चिर अविनाशी!
उस क्षण तुम किन भावों में खोए रहे लीन।
सुख में दुख को आरोपित कर,
कर त्याग, भोग का उर विशाल,

उद्भव विनाश, नित रुदन हास,
फैलाया यह क्या ईन्द्रजाल?
मुझको रचकर निज सत्ता का,
आभास कराना तव अभीष्ट।
जड़ मुक्त अगर हो यह चेतन,
कह क्या होगा, तेरा अनिष्ट?

गीत २७
दुनिया का खेल देख के होना उदास क्या?

दुनिया का खेल देख के होना उदास क्या?

छूना नहीं मुमकिन, तो दूर क्या, व पास क्या?

जिसकी तराशूं बुत,मैं उसे, देखता नहीं,

बिन देखे, जो न गढ़ सके, वो संग तराश क्या?

हम दिल की नजर से, ये जहाँ देखते रहे।

एक सा मुझे लगे, अंधेरा क्या, प्रकाश क्या?

जाने कहां से अपना सफर हो गया शुरु....,

क्या धरती, क्या पाताल हमें, या आकाश क्या?

सबमें सदा मै देखता, तेरी शकल रहा.....।

जो पाया उससे खुश हुँ, आस क्या, निराश क्या?

सब हैं मेरे अजीज,सबकी बन्दगी करुं.......

मुझको पता नहीं है, आम क्या व खास क्या?

तुझको बड़ी कोशिश किया, पहचान न पाया।

जाना न अब तलक, तेरा असली, लिवास क्या?

मेरी नजर का दोष, तुझे ढुढुं अब तलक....।

मै ही गो तेरा घर, तेरा दूजा निवास क्या?

गीत २८
सब कुछ तो यहां ठीक, और क्या बताएं हम?

सब कुछ तो यहां ठीक, और क्या बताएं हम?
है जिन्दगी ये जेल, कहां बचके जायें हम?
सबको यहां हर वक्त कोई ग़म ही लगा है।
सुनते हैं सबकी, अपना गम किसे सुनाएं हम,
बहुतों ने रचा है यहां, नायाब फसाना.....,
तुम जिसका कहो उसका फसाना सुनायें हम,
था वक्त का मसीहा, अम्बेडकर था नाम
आ जाओ उसके याद में दीपक जलाएं हम,
अब जिन्दगी मजलूमों की आजाद, यहां आ
ले साथ उनको, जश्ने आजादी मनायें हम...,
जिन रहबरों ने हमको यहां लूटा बार-बार,
उन रहवरों के नाम तलक भूल जायें हम.....,
यादों में, जिनके दिये जख्म, आतें हैं अक्सर,

खुद जानों उनका नाम, तुम्हें क्या बतायें हम...,

तुमको नया जहान ही रचना है अब यहां......।

चलो, उनके रचे जहान का नक्शा मिटायें हम...,

सब साथ मिलके आओ बड़ा नेक काम है।

कर पूरा इसे, झूमें, नाचें गुन-गुनायें हम.....

गीत २९
पन्द्रह अगस्त के सूर्य

पन्द्रह अगस्त के सूर्य तुम्हारा करता हुं अभिनन्दन!
तेरी किरणों ने खोला था, मातृभूमि का बन्धन.....,
इसी दिवस को सफल हुआ, हम लोगों का सपना था।
भारत की मिट्टी का हर, कण हर तिनका अपना था...॥
इसी दिवस को सफल हुई थी, वीरों की कुर्बानी...,
स्वर्ग बीच हंस पड़ी, हमारी झांसी वाली रानी॥
मनी दिवाली देव लोक में, विहंसा कानन – नन्दन,
पन्द्रह अगस्त के सूर्य तुम्हारा करता हूं अभिनन्दन॥
तेरे दर्शन का नशा, पिये रहता था वीर जवाहर,
बना हुआ था आजादी हित, भूखा - प्यासा नाहर,
हँसते २, फांसी चढ़ने की हिम्मत जिसमें थी,
वीर भगत से आँख मिलाले, यह हिम्मत किसमें थी।
भारत माँ ने पत्थर दिल कर, लाखों लाल गवांये,
कोख में उसने अपने, प्यारे! अनगिन फूल उगाये
तेरे उपर उन फूलो ने, की कुर्बान जवानी,
सदियों तक काफी रोया, गंगा चिनाब का पानी,

74

उन वीरों की याद में, अपनी रूध गई है वाणी
दिल से उन्हें दुआ देते, हम साथ करोड़ो प्राणी,
है आज "विकल कवि" की वाणी में हास्य और कुछ क्रन्दन
पन्द्रह अगस्त के सूर्य, तुम्हारा करता हुँ अभिनन्दन...
स्वयं मौत को गले लगाया, जीने की थी याद नहीं।
शुभागमन हो तेरा! कह हंसता होगा आजाद कहीं,
अशफाकुल्ला, खुदीराम, विस्मिल होंगे मुस्काते,
फांसी पर जो झूल गये थे, हिल मिल हंसते गाते,
रहा जमाना सुनता उनके मस्ती भरे तराने,
काश आज वो भी आ जाते, गीत खुशी के गाने।
तिलक खून का लगाके माथे, जो था उनका चन्दन,
शीश झूका भारत वासी, करते उनका भी वन्दन॥
पन्द्रह अगस्त के सूर्य तुम्हारा, करता हूं अभिनन्दन
तेरी किरणों ने खोला था, मातृभूमि का बन्धन....

गज़ल १
इन किताबों ने ग़ज़ल दी मुझको

इन किताबों ने गजल दी मुझको;
इन किताबों ने कहानी दी है;
मिलाया कितने जमाने के कलमकारों से;
जुबां को उसने फिर, गजब की रवानी दी है;
भले हुजूम के अन्दर ये सांस घुटती रहे;
जब भी चाहूँ बुलालूँ, ऐसी बिरानी दी है;
जब ये सांस भटके तो, बताने उसे राह सही;
इधर-उधर, हाँ सभी ओर; निशानी दी है
न कुछ मिले तो क्या? हवा ही ख़ाके जिन्दा रहूँ।
बूझा लूं प्यास, मुझे इसने वो पानी दी है;
जेब में रखके उम्मीदों का खजाना दौडूँ;
जीतूं दुनिया, वो मुझे, उसने जवानी दी है;
कोई समझाया करे रात को दिन, मान लूं मैं भी,
यही गम, किसने मुझे? ऐसी नादानी दी है॥

गज़ल २
है अक्ल बड़ी उससे ये

है अक्ल बड़ीऽ, उससे ये दो जहां खरीदिये;
जब चाहें, जिसको जहां, वहां बेंच दीजिये;
उस अक्ल से बनाईये अच्छी सी कुछ रुई;
बन्दे को उसमें, अक्ल से लपेट दीजिये;
फिर बोलिये पानी में जाके डुबकी लगाओ;
और जमके अपने पूर्वजों से भेंट कीजिये।
हैं काफी कदर दान, अगर ढुढ़ेंगे हुजूर;
लोहे को गर्म करके, जरा चोट कीजिये;
बारीक अकल वालों से, खतरा ही खतरा है;
खतरा मिटे, दुश्मन की अक्ल; मोट कीजिये;
भारत की, आज़ादी से बदल जाय न नक्शा,
कपि बनके ज्ञान सूर्य उनका घोंट लीजिये;
जब खेत ही खुला है, तो चरना भी फर्ज है;
चारा नरम है, बेफिकर खसोट लीजिये;
सदियों से जो बेहोश हैं, हैं खुद कसूरवार;
उनको चरें, मैं साथ, मेरा वोट लीजिये॥

गज़ल ३
मेरे शब्दों की ज़रा उसको फसल भा गयी होगी

मेरे शब्दों की जरा, उसको फसल भा गई होगी।
मैं रो रहा था, मुझे सुनने गजल आ गई होगी।
वो कहते ठोकरें ही खा के, अब जिवन गुजारेंगे।
जब थके ख़ाके हवा, खुद ही अकल आ गई होगी
चाहा मैंने जिन्दगी से इश्क लड़ाना, न वो मिली
पहलू में रकीबों के, जा समा गई होगी;
मेहनत का फल हर एक को मिलना है सदा तय॥
मेरी फसल को, भेड़ कोई खा गई होगी;
क्यों अपना वो पुराना, पनघट है फिर मगन
भरने घड़ा, कल गोरी कोई आ गई होगी।
महफ़िल में बैठे लोग कितने झूम रहे हैं;
मैना वही फिर गीत नया गा गई होगी;
कल तक थी वो, गुमसुम, बड़ी निराशा में पड़ी।
खुश दिख रही, मजदूरी आज पा गई होगी।

78

गज़ल ४
साफ़ पानी में भला, कौन? नशा छोड़ रहा है

साफ पानी में भला, कौन? नशा छोड़ रहा है
हमारी राह कौन गलत दिशा मोड़ रहा है
अधपके फल को तोड़ना, तो काम गलत है
फिर इन, कच्चे फलों को रोज कौन तोड़ रहा है?
वह हमपे हाथ उठाता ही रहा जी में जब आया,
हमारा हाथ कौन युगों से मरोड़ रहा है;
शम्बूक की भी रुह, कहीं गई तो नहीं,
वो कब से रोज अपने क़ातिल को झन्झोड़ रहा है,
बतलाओ तो? कसूर उसका, अब तो बताओ?
अब भी तूं क्यों, जवाब से मुंह मोड़ रहा है।
"सच्ची रामायण" पढ़ले, छोड़ झूठी को प्यारे
ये बम कानों, में किनके, कौन रोज फोड़ रहा है?

79

गज़ल ५
धरम के रग में लोहू गर्म बहता

धरम के रग में लोहू गर्म बहता
तो बन्दा कैसे, वह खामोश रहता?
कबीरों से लड़ा करता है अक्सर
दिलों में उसके ऐसा जोश रहता
वो गरीबों की भला मासूम चीखें
सुनें कैसे? सदा भक्ति में जब मदहोश रहता
फरिश्ता खुदको कह, आंखें तरेरे,
मुकाबिल सच के, बन खरगोश रहता
नसीहत जब वो दें, ऊंचे तखत से
वो बन्दा उस घड़ी, पुरजोश रहता
कहाँ सतियों की चीखें गुम हुई, बेचैन हैं वो?
उसे निज सभ्यता के, मिटने का अफसोस रहता
भगाया था कभी कुओं से, जिनका देश है यह
उन्हें अब पाके, अपनी बगल में बेहोश रहता॥

गज़ल ६
बना रहा था मैं एक छोटी सी नहर लोगों

बना रहा था मैं, एक छोटी सी नहर लोगों,
हमारे पीछे चला, टूट के शहर लोगों;
खुद तो मर २ के, पिलाया जहान को अमृत
जिन्दगी भर मगर, अपने पीया जहर लोगों।
हमनें जब खून बहाया, कि उनकी जड़ सीचूं,
नहीं में उसने, हमेशा हिलाया सर लोगों...;
बिताया जिन्दगी जिस घर का बन के पहरेदार,
देखते २ छिन में लुटा, वो घर लोगों,
गुमां पाले था मैं, रखता हुं खबर कण कण की
पता आखिर में चला, मैं हूं बेखबर लोगों,
हमने अपनी कदर न जाना, औ न गैरों की;
बा खुशी झेला उसे, बन के बे कदर लोगों॥

गज़ल ७
है नक़ल जरुरी, आज आईये नक़ल करें

है नकल जरूरी, आज आईये नकल करें
सवाल दर सवाल आज, हम इसी से हल करें
कई युगों से गंगा ज्ञान की मैली पड़ी हुई,
उसको ज्ञान जल से, स्वच्छ करने का पहल करें,
गैरों की टहल किया, तल्लीन हो युगों- युगों
आज अकलमंद बन के, अपनी भी टहल करें
लोगों ने किया है क्या? हमारे साथ, छल ही तो;
उनका छल मिटाने हेतु, हम भी कोई छल करें॥
काम यह जहीन है, मगर बहुत महीन है
दोस्त ऐसा काम, हम भी करने का शगल करें॥

गज़ल ८
पत्तियों को देखकर, तबियत हरी होने लगी

पत्तियों को देख कर, तबियत हरी होने लगी
नन्ही कलियां देख मुझको, चुपके से रोने लगीं।
उनमें हलचल सी मची, आंधी चलेगी भरम था
मन्द शीतल पवन की, थपकी से फिर सोने लगी
दोस्तों हल्का न समझों, सांस का जो खेल है
जिन्दगी सांसों के दम पर जिन्दगी ढोने लगी
कल जो बोया, आज काटा, आगे भी है काटना
जो थी जोगन, सोच के कुछ, फिर फसल बोने लगी।
काफी कोशिश करके हमने ढुंढा था मिथ्या सहारा
ज्ञान की गरमी से बुद्धि, तिनका वह खोने लगी
आंसू का या प्रार्थना का, क्या कहूं कैसा असर?
मैल की चादर बड़े शिद्दत से वह धोने लगी॥

गज़ल ९
आंसू की बूंदें टपकी बड़े ज़ोर से यारों

आंसू की बूंदें टपकी बड़े जोर से यारों।
जब बीते घाव याद पड़े मुझको हजारों
मजनूं पे बरसता रहा, आलम तेरा पत्थर।
तुमको कसम लैला की, उसे और न मारो॥
बहरा नहीं खुदा, तुझे शऊर कहाँ है?
पेश्तर पुकार के मिलेगा, ढंग से पुकारो
महफ़िल तो अब जमी है, कोई आने वाला है
तुमको भी कर श्रृंगार, आना होगा बहारों;
सुरज नया, आकाश नया, चांद नया है
अब और नया चाहिये क्या? बोलो सितारों
हम भी हैं उसी मर्ज से, जमाने से बेकल
अब चलते दवाखाने, तुम भी जाओ नजारों॥

गज़ल १०
पेट के इर्द-गिर्द घूमना जरुरी पर

पेट के इर्द-गिर्द घूमना जरूरी पर,
सिर्फ उसी के गिर्द घूमूं न मन्जूर मुझे,
हमारे इस दिवाने पन की दवा मुश्किल है।
न हुँ वहशी, न दिवाना, न कह मगरूर मुझे
लगी है जनम से ही, यह अजब बिमारी है।
जिन्दगी भर रुलाया इसने है, भरपूर मुझे,
मैं जिनके वास्ते लड़ता हुं, बिना फीस के भी
वही नजरों से बिठाता है, जरा दूर मुझे
वो हँस रहा है, देखो खोल के दिल मेरे पर,
वो फिर सिखायेगा, जिने का भी शऊर मुझे?

गज़ल ११
जन्नत हमारी राम के चरणों में नहीं है

जन्नत हमारी राम के चरणों में नहीं है
शास्त्रों ने इशारे में यहीं बात कही है
बोल अनमोल, महाराज पिलाते हैं आप क्या?
जरा बतायें? क्या पेरियार की भी राय यही है?
ऐ शूद्र मत पढ़ो, तेरा बेकार है पढ़ना।
मनु ने कहा यह बात, हमें याद यही है?
बोलो करोगे क्या? पढ़ो या रहोगे अनपढ़?
मर्यादा भंग करना तुम्हें ठीक नहीं है
तप करना है, तो जांच लो कहती क्या रामायण
वाल्मिकी ने शम्बूक की कथा भी कही है।
जब तक भजोगे राम को, तुम शूद्र रहोगे
गीता पुकारती, तेरा स्वधर्म यही है,
निज धर्म में मर जाओ, सदा ढोते २ बोझ
जिसने कही भगवान के माथे ये कही है

86

गज़ल १२
क्या पूछते हो मुझसे, मेरा कैसा हाल है?

क्या पूछते हो मुझसे, मेरा कैसा हाल है?
आंसू तलक हैं रुठ गये, ऐसा हाल है,
जब बिजली गिरनी तय तो क्या, दामन बचायें हम,
कब खाक होगा आशियां? अब यह सवाल है,
साहिल की आरजू में, मेरे बाजू थक गये,
साहिल के पहले फिर नई लहरों का जाल है,
बढ़िया ये खुदाई है, इसपे शैदा हैं हम भी
होगी किसी को, हमको न हरगिज बवाल है
है लाख तेरा शुक्र वो परवरदिगारे पाक
दिल तेरी नियामत से मेरा माला माल है
बस मस्त हम तो रहते हैं और कहते हैं गज़ल
रोऊँ, तो लगे हंसता हुं, कैसा कमाल है?
यारों! गुनाह माफ करो! साफ करो दिल
बिते को अब विदा दो, कल से नया साल है

गज़ल १३
नशे की गोली को हम समझे दवा बैठे हैं

नशे की गोली को हम समझे दवा बैठे हैं।
पगली आंधी को समझे ताजी हवा बैठे हैं।
ऐसे पागल हैं हम, मुद्दत से, कटाके गर्दन....,
अपने कातिल को मसीहा बनाके बैठे हैं
जब भी जी चाहा उसका, उसने हमें लूटा है
वही बचाता हमे, यह करके गुमाँ बैठे हैं
हमने जो तप किया उसने उतार दी गर्दन।
जिसकी हम, बन्दगी में सर झुका के बैठे हैं।
अपने इस काम पे हमको है बड़ा नाज़ सुनो
युगों से खुद को तमाशा बना के बैठे हैं।

गज़ल १४
तुम मत कहो मगरूर, ना मगरूर हूँ मैं

मुझे तुम मत कहो मगरूर, ना मगरूर हूं मैं,
कसम ईमान की, मजबूर था, मजबूर हूं मैं,
जहाँ अपना बसेरा था, वहां से लाख योजन,
भटकता हूं बियावां में, थकन से चूर हूँ मैं,
हुआ गुम घर वो अपना, मैं जहां किलकारियां भर,
सदा खेला किया, मुद्दत से उससे दूर हूँ मैं,
अंधेरों से चला लड़ने, मैं अपना खोल कर दिल,
कि सच्चे ईल्म की दौलत से भी भरपूर हूँ मैं,
भले दुनिया न जाने, क्या हुआ? मुझको न परवा है।
युगों से जुल्म सहते, जिस्म का नासूर हूं मैं
जरा लगता हुं दिवानों में, अलबेला दिवाना
कि जिससे रोशनी फैली, वो कोहेतूर हूँ मैं
भले मजनूं न माने है मुझे, लैला भी ना माने,
तूं इतना जान लो, दोनों के दिल का नूर हूँ मैं।

गज़ल १५
क्या डरूं मझधार में, तिनका हमारे साथ है

क्यों डरूं मंझधार से, तिनका हमारे साथ है।
लहरें क्या जानें हमारे सर पे किनका हाथ है?
दर्द की इस झील में कश्ती हमारी बह रही।
जिन्दगी बेफिक्र, तिल २, चोट हंस २ सह रही।
भाग्य के आकाश में उड़ती है जीवन की पतंग
गीत रह २ गुन-गुनाती, और बजाती जल तरंग॥
पंख तो हैं ही नहीं, उड़ती मगर-दिन-रात है
जिन्दगी! तेरी कहानी, क्या कहुँ, क्या बात है?
मैं हूं तुमसे, तूं है मुझसे, बन्दी मैं तू जेल है
कहते तुमको लोग, तू सपना या कोई खेल है
मैं तो दीवाना, मुझे तुम माफ करना जिन्दगी
बाद सबके, मेरा भी, ईन्साफ करना जिन्दगी॥

गज़ल १६
ग़ज़ल के दर पे धक्के खा रहा हूँ

गज़ल के दर पे धक्के खा रहा हूँ।
मगर फिर भी नहीं शरमा रहा हूँ
अपनी रौ में, गज़ल यूं, गा रहा हूँ।
उसका भठ्ठा, गोया, बैठा रहा हूँ।
जरा तुम ध्यान से, मुझको तो सुन लो!
बड़ी इसरत से कुछ समझा रहा हूँ।
कदरदानों से घबराना न अच्छा
मगर मैं झूठे ही घबरा रहा हूँ।
गालिबो, मीर, मोमीन की जहां, चर्चा हुआ करती
कहाँ कम है, वहाँ मैं भी कला दिखला रहा हूँ॥

गज़ल १७
दीदार की नेमत मुझे पिलाईये जरूर

दीदार की नेमत मुझे पिलाईये जरुर,
खिदमत करुंगा, बस; मुझे जिलाईये हुजूर॥
मुझको जो आप देखें, मुझे दो जहाँ मिले,
मुझसे न अपनी नजरों को,हटाईये हुजूर॥
है रुकने वाली सांस, झलक जल्द दीजिये।
चेहरा हसीन, अब तो मत छुपाईये हुजूर।

जब तीरे नजर आपने, मारा है जिगर पे?
मरहम भी अपने हाथों अब लगाईये हुजूर।

महफिल सजी है, काश आप रागिनी छेंड़े,
सुन लूं तो चलूं, जल्द ही सुनाईये हुजूर॥
मुल्के अदम को जाता हुँ, एक झलक दीजिये,
ईन्कार में सर अपना, ना हिलाईये हुजूर॥
रूखसत की घड़ी में तो कोई गीत सुनादें,
जब गावें, तो बन्दे को भी बुलाईये जरुर॥

हैं लोग मुझसे पूछते, हैं कौन ये हुजूर,

मैं क्या बताऊँ? आप ही, बताईये हुजूर॥

बस आज अपने राज का हो जाये पर्दाफाश,

ये राज इशारों से ही समझाईये हुजूर॥

आखिर को हूँ ईन्सान, फरिश्ता न कोई मैं,

पुतला हूँ गुनाहों का, जान, जाईये हुजूर॥

कुछ मुक्तक

१)- जिन्दगी दौलत है, या ईक कर्ज है
या कोई काफी पुराना मर्ज है?
जो भी हो यह सफर काटो हंस के साथी
जिन्दे लोगों से, यही छोटी सी अपनी अर्ज है।

२)- बुल-बुला हूँ एक, अचानक फुटूंगा मैं एक दिन,
हंसते २, जहाँ से, हूंगा बिदा मै एक दिन,
अभी तो आजाया करता, बिन बुलाये रोज २,
पर न आऊंगा बुलाने पर भी तेरे, एक दिन॥

३)- ग़म के प्याले हंसते २ पी रहा,
जिन्दगी बे फिक्र होकर जी रहा,
सब भुलाके बस ये मुझको याद है,
वस्त्र मैं इन्सानियत के सी रहा॥

४)- सूरज निकल रहा है, देखो आसमान पे,
कुछ गीत के खुशबू बिखेर तूं, जहान पे,
निकलो अंधेरे से, तूं खेल, अपनी जान पे,
मत दाग लगने देना, अपनी आन-बान पे॥

५)- ईश्क का ग़र मजा लेना है प्यारे,
    बात उस्ताद की सुनने का हुनर पैदा कर,
    सारी दुनिया तो हकीकत में, तेरी माशूका है,
    सिर्फ तूं अपने में, आशिक की नजर पैदा कर॥

६)- दिल को मेरे तुम दुआ दो, ईश्क का बिमार ये
    है बड़ी मुद्दत से, अपने ग़म से ही बेजार ये,
    लाख इसको रोकता, ये लिपट जाता बार-बार
    फर्क कर पाता नहीं, फूल है, या खार ये?

७)- मैं पी रहा हूँ, मुझे पीने दो,
    दो घड़ी और मुझे जीने दो,
    नजर का तीर कभी फिर चलाना,
    मुझको घायल जिगर तो सीने दो॥

८)- तीर नजरों का एक बार फिर मार दे,
    ये हैं तुमसे मेरी आख़िरी इल्तिजा,
    कब से खाया अभी तक मरा मैं नहीं,
    रोज आती कज़ा, लौट जाती कज़ा॥

९)- जिसे मैं पी रहा था नजरों से
तुम्हारा हुस्न था, शराब न थी।
जल गया मेरा आशियां, तो क्या?
कोई तेरी अदा खराब न थी।

१०)- ऐसी कुछ इस जहां की रीत बनी,
कि दिल की हार, दिल की जीत बनी;
देखो क्या जिन्दगी है वीणा की,
जब कोई चोट लगी, गीत बनी॥

११)- जल रहा है प्राण सांसे तेल हैं,
तन नहीं, ये अत्मा की जेल है;
अब न कुछ धड़कन न कुछ अरमान ही
जिन्दगी काफी पुराना खेल है॥

१२)- याद क्या जो याद बन कर रह गई?
राज क्या? जिसको नजर ही कह गई,
दिल तो बिंधने के लिये बेताब है,
तीर क्या, जो सिर्फ तन कर रह गई॥

१३)- जिस तरह कटती रही है अब तलक,
रफता २ आगे भी कट जायेगी;
ये अंधेरी रात कब तक टिक सके?
भोर ज्यूं ही आया, ये हट जायेगी
दर्द के पर्वत भी सागर की, तली में डुबेंगे
छाई जिवन पर घटायें अन्त में छंट जायेगी
तु मुसाफिर चलता रह, चलना ही असली जिन्दगी
आज या कल, या कि परसों, खुद ब खुद कट जायेगी।

१४)- कितने दिल के घड़े भर गये प्यार से,
मेरे दिल का घड़ा अब भी रीता रहा।
तुम पिलाओगी अमृत इसी आस में,
जिन्दगी का जहर, रोज पीता रहा।

१५)- शहर से दूर बजी शहनाई
कोई गोरी बनेगी नव दुल्हन।
नजर में ये लहर जवानी की,
साथ लायेगी ईक नई उलझन।

१६)- जिन्दगी दौड़ है एक छोटी सी
      सभी को दौड़ना जरूरी है।
      यार! क्यों, धीरे २ चलते हो?
      यह तो कागज की खाना पूरी है।

१७)- जिसे मैं पी रहा था नजरों से,
      तुम्हारा हुस्न था शराब न थी,
      जल गया मेरा आशियां तो क्या?
      कोई तेरी अदा खराब न थी।

१८)- जल रहा है प्राण सांसें तेल है,
      तन नहीं ये आत्मा की जेल है,
      अब न कुछ धड़कन न कुछ अरमान ही,
      जिन्दगी काफी पुराना खेल है।

१९)- प्रेम का मोती है, चमके कब तलक,
      प्रेरणा का रस न झमके जब तलक,
      जब तलक गोरी पिया के पास है,
      पांव की पायल भी छमके तब तलक।

२०)- याद क्या? जो याद बनकर रह गई,
राज क्या? जिसको नजर ही कह गई,
दिल तो है बेताब, बिंधने के लिये,
तीर क्या जो सिर्फ तनकर रह गई।

२१)- मैं पी रहा हुं मुझे पीने दो,
दो घड़ी और मुझे जीने दो,
नजर का तीर कभी फिर चलाना,
मुझको घायल जिगर तो सीने दो।

२२)- जिन्दगी के पन्ने घटते जा रहे हैं,
समय की स्याही भी सुखती जा रही है
एक दिन आके वो अपना मुझे बनायेगी
वो मौत मेरी तरफ बढ़ती चली आ रही है।

२३)- ऐसी कुछ इस जहाँ की रीत बनी,
कि दिल की हार, दिल की जीत बनी,
देखो क्या जिन्दगी है वीणा की,
जब कोई चोट लगी गीत बनी।

२५)- तुम न आयी, चाँदनी आई तो क्या?

इक सुहानी सी घटा छाई तो क्या?

सुन के तेरी याद में मैं रो पड़ा,

हर किसी को रागिनी भायी तो क्या?

रुबाई

१)- जिन्दगी की रुबाई सनम,
कुछ दिनों से गजल हो गई;
दे के थपकी सुलाती थी जो,
खुद वो मेरे बगल सो गई;
जो जवानी में थी जामें मय,
अब वो गंगा का जल हो गई;
सुनके हैरां हूँ ये ज़िन्दगी;
मयकदे की — नकल हो गई॥

२)- तू नहीं तो जिन्दगी का क्या मजा?
क्यों न इसको मान लूं अपनी सजा,
काटना तो है मुझे, काटूंगा भी;
है मजा मुझको, सुनो, जिस सजा में तेरी रजा॥

३)- तू न आई चांदनी आई तो क्या?
ईक सुहानी सी घटा, छाई तो क्या?
सुन के तेरी याद में, मैं रो पड़ा।
हर किसी को रागिनी भाई तो क्या?

शहर रिटर्न घूरहू – निरहू - भाग-१

१)- जब चललन घुरहू गांव छोड़ऽ
बाबू भईया क हाथ जोड़ऽ
हम चलत हईं, काकी काका
पूरे जवार क धरिं गोड़.....,

२)- कुआं से बहरे आज होईं,
बहरिऽ दुनिया में धरब पांव
छोड़ब गौरैया अस.....बोलल
अब करब काग - अस कांव कांव।

३)- कईसन अईजन, कईसन डिब्बा?
कईसन पटरीऽ बा रेली कऽ
अबले हम उनके ना जनलीं,
अब देखब रूप नवेली कऽ॥

४)-   टी.टी., फी.टी. हम न जानी
      बस सीटी कुछ २ बार जानीलां
      "भारतीय रेल" के शुरूये से
      हम आऽपन सम्पति मानीलां

५)-   ऊ टिकट कटावें के कहिहं,
      उनहीं के टिकट काटि देब,
      पाकिट के उनके माल जवन,
      सगरि भईयन में बांटि देब....,

६)-   मिल जुल के खाईल ठीक रही
      उहों खईहें हमहूं खाईब,
      कुछ बची त हम आपो खातिर,
      मोटरी में बान्हिं के ले आईब॥

७)-   त हमके लोगन ईजाजत द
      आ कुशल मनावल, करिह जाऽ॥
      उहंवा से पानी बरिसाईब,
      इहंवा तू पीयल करिह जाऽ॥

कहके घुरहू चल पड़े—

८)- घुरहू के गईले तीन महीना
से ज्यादा उपराई गईल
चिठ्ठी जोहत साथी लोगन क
अंखियां त पथराई गईल॥

९)- का भईल? चिथरूआ! घुरहू के
घोड़ना तेंहि मालुम करते
ना पता चले, त खोजे के
तें शहरे क रस्ता धरते॥

१०)- एइसे बकधुन, अऊंजा पथार
रोजे अपने में करत रहें,
हम हूँ न हेराईं जाई ऊहां,
ई सोच चिथरूआ डरत रहे॥

११)- तबले एक दिन चिठ्ठी वाला
घुरहू का चिठ्ठी ले आईल
गंवई जवार के लोगन कऽ
मुरझाईल चेहरा मुस्काईल॥

१२)- चिठ्ठी पढ़े वाला अईलं,
धीरे २ बांचे लगलं॥
घुरहू क जेतने दोस – यार,
खुशीयाली में नाचें लगलं॥

१३)- काका! दरबानी करत हईं,
एईजां काफी आराम हवे॥
आ बनल रसोईं रोज मिले,
खाली खईले क काम हवे॥

१४)- हम एईजां बिल्कुल ठीक हईं,
गऊवां के लोग कईसे बांटें॥
बोलने में गड़बड़ हो जाला,
अक्सर पब्लिक हमके डांटे॥

१५)- पईसा जब मजे क जूटि जाई
कुछ जोड़ी जाल खरीदब हम
बीमा से चाहे परसल से
तूहन लोगन के भेजब हम॥

१६)- ईहवां चउताऽल न सुनि पाईं,
कजरी, ठुमरी के छपिटाई
सोचत बांटी हम आवत क
एगो ढोलक लेले आईं॥

१७)- फगुआ ले हम जरूर आईब
चईता न सुनीं त मरिं जाईब
तब डिटेल में बाकी बतियां
सगरो लोगन के बतलाईब

१८)- इहंवा त छोकरी, छोकरा के
चीन्हल काफी, मुश्किल बाटे
पईसा क इनके कमी न बा,
ई दूनो शट्ट-वुशट्ट डांटे

१९)- आईब त फोटो ले आईब
ईनहन का बार कईसन होला
ई करें ठिठोली अपने में
पचईं में जस कुश्ती होला॥

२०)- हम रऊंवा क घुरहू बाटीं,
     निरहु भईया! कईसन बाटऽ,
     तुहंके कहत रहलीं चलऽ
     ना अईलऽ त अंगुठा चाटऽ॥

२१)- पछितईले से कुछ ना होई,
     आवल चाह? जल्दी आवऽ!
     डर लागत होखे आवे में,
     त ओ ही जां मुंह पिटवावऽ॥

२२)- घोड़ना रे! एईजा मजा जवन?
     उहां सात जनम में ना पईबे
     गड़ही पोखरा में, डबरा में,
     कच्चा कोंहड़ा अस डगरईबे॥

२३)- काकी काका के पांव लागि,
     अब चिट्ठी खतम करत बाटीं,
     साथी लोगन, गवई जवार,
     हम सबक, गोड़ धरत बाटीं॥

निरहू सुनि के ताव में आ गईलं —

२४)- निरहू भईया के चढ़ल ताऽव
  ताना बरदास न कई पऊलं
  हम हूं अब ऊहे, राहि धरब
  सिध्दा -पिसान ऊ गठिअऊलं॥

२५)- घुरहू क पता लिखा लिहलं
  चिउरा लाटा गठिया लिहलं
  जेके, लेवे देवे के रहल
  सब क हिसाब, फरिया दिहलं

२६)- धइलं ऊहो शहरे क राहि,
  मुड़िया के जब जाये लगलं,
  चलि के हम मउंज करब उहवां
  मन क लड्, खांये लगलं॥

२७)- कईसो, कईसो पूछत-पाछत
  जतरा त पूरा होई - गईल
  दुर्भागि से घुरहू भईया क
  पतवे क चिठ्ठी खोई गईल॥

२८)- अब आऽ के, उऽ त फंसी गईलं
धईके कपाऽर रोवे लगलं
भरे खातिर पापी ई पेट
बनि कुली माल ढोवे लगलं॥

२९)- तब से रोजे ढोवत बाड़ंऽ
आ, मनवे में सोचत बाड़ंऽ
कबहु त भागि, फरिअइबे करी
घुरहू के रोज खोजत बाड़ंऽ॥

इधर घुरहू की हाल —

३०)- नगिचाईल होऽली, घुरहू के
धीरज क बन्धाऽ टूटी गईल
छुट्टी लिहले के चक्कर में
दरबानी उनक छुटि गईल॥

३१)- अईसन चक्कर में पड़ी गईलं
कईसे ई पापी पेट चली
धन्धा खातिर ई, भईया त
दऊड़लं शहर क गली-गली॥

३२)- एक रोज अचानक जात रहें,
   गंउवे के याद में मुरझाईल,
   घुरहू भईया कईसे बाटऽ
   झटके में ई अवाज आईल॥

३३)- सुनि के घुरहू रोवे लगलं,
   सुसुकी पर सुसुकी चले लगल,
   आईल आवाज़ ई कहंवा से,
   फिर देखें लगलं अगल-बगल॥

३४)- तबले निरहू अकंवारी में,
   गठरी अस उनके धई लिहलं,
   भरि पेट बहउलं ईहो आंस,
   जियरा के हल्का कई लिहलं॥

३५)- तब दूनो जन आपन गाथा
   बतिया के मन हल्का कईलं,
   निरहू के पास रहे पईसा,
   दूनो भाई खाना खईलं॥

३६)- फिर कहें शहर का मुंह मारऽ
आजे गाड़ी पकड़ल जाई,
गऊवें में रहल ठीक हवे,
के रोज ईहां, धक्का खाई॥

शहर रिटर्न घूरहू – निरहू - भाग-२

१) - घूरहू-निरहू दउरत-भागत।
      अपने जवार में जब.....अईलं॥
      तब पड़ल, सांस में सांस......अऊर।
      घर पहुँचि के उहो शेर.....भईलं॥

२) - सबसे कईके जयरम्मि....आऽ।
      धई गोऽड़ पुरनियां काका....कऽ॥
      काकी के पैरे मुड़ पटकि।
      जय कईलं सगर ईलाका क॥

३) - तकदीर में मालिक लिखे रहे।
      तूहन लोगन क दरश-परस॥
      हमके लागत, एतने दिन में।
      उहांऽ बीऽतल, कई हजार बरस॥

४)- अब चटक, बतकही रोज चले।
एक रोज क भईया बात सुनऽ॥
घूरहू रोजे गूनत रहलंऽ
तुहऊँ एके, बढ़ियां से गुनऽ॥

५)- कहलें घूरहू एक बात अजब।
तूहन लोगन के बतलाईं॥
सुनि के हम तऽ चकरा गइलिं।
ऊ किस्सा सुनिलऽ, दोहराईं॥

६)- एक रोज अजब बाबा अईलं।
वो शहर में काफी भीड़ भईल॥
ऊ अपने ज्ञान के गंगा कऽ।
जल बरसऊलं सब भिंजी गईल॥

७)- बाकि ऊ जवन बात कहलं।
कुछ मनलं, कुछ खिसिया गईलं॥
कुछ बाबा के, पावें पड़लंऽ।
कुछ धीरे से कनिया गईलं ऽ॥

८)- दूनो गोली क हाल देखि।
　　हमहूँ मनमें सोचे लगलीं॥
　　के हवे ठीक, के गलत हवे।
　　एकर जवाब खोजे लगलीं॥

९)- मोर बुध्दि कहे, बाबा क ज्ञान।
　　ना हम लोगन के काम क ह ऽ॥
　　हमके ठुन्ठा, उनके हरियर।
　　करे, खाली उनके काम क ह ऽ॥

१०)- आवऽ अब किस्सा कहीं उहे।
　　तूं ध्यान लगाके सुनऽ मीऽत॥
　　कईसे तूं आपन, दिन कटलऽ।
　　देखऽ आपन सगरो अतीत॥

११)- हम उनकऽ सुनल कहत बांऽटी।
　　उत्तम मध्दिम हम का जानीं?
　　जे पढ़ल लिखल बा ऊ सोचिहें,
　　हमहूं उनक अनुचर बाऽनीऽ॥

बाबा कहें काऽ, ओकरे बारे में हमार विचार सुनऽ

१२)- उ हमें पढ़ावें, तीन-पांच।

हम पढ़ीं न ऊनकऽ तीन-पांच॥

हमहूं कब्बो न झूठ बोलीं।

हम कहीं सांच-हम कहीं सांच॥

१३)- उ बरम्हा के नगदे जानें।

विष्णु त, उनकऽ यार हवंऽ॥

शंकर क बात बताईं का।

सब लोग इहाँ हुशियार हवंऽ॥

१४)- जब मोर्चा थाम्हे के होई।

बिन कहले डटिहे ई तीनों॥

आपन गहना सब पहिन-२।

छोटकन के पटकिहें, ई तीनों॥

१५)- चिन्हल इनके आसान न हऽ।

चिन्हे खातिर बुध्दि चाही॥

जब साथ न दे बुध्दि तुहार।

तब त हमसे शुध्दि चाही॥

१६)- उनक ई चक्रव्यूह तोड़ल।
तुंहके मुश्किल, ई बात सांच॥
उ तुहें पढ़ावें तीन-पांच।
तूं पढ़ऽ खुशी में नाच-नाच॥

१७)- कईसे तूं लोग बान्हल बाड़?
अदृश्य डोर अउर खूटां से॥
बतलऊले पर तूं घिउरऽ अस।
अझुरईलीं जस, हम झुंटा से॥

१८)- अपने लोगन के हाथ पकड़ि।
अज्ञान नदी से पार करीं॥
त अपने लोगवा कहेलंऽ।
हम काम बड़ा बेकार करीं॥

१९)- हमरे आ उनके बुध्दि में।
दिल्ली-असमान क दूरि ह॥
ऊ घोड़ा बेंचि सूतल बाड़न।
पानी छिड़कल मजबूरी हऽ॥

२०)- ब्रम्हा, विष्णु आ शंकर के।
    पिछे मोर लोगवा भागेलंऽ॥
    हम उन्हें जगाई चोकरि-चोकरि।
    उ काठ हवंऽ ना जागेऽलं॥

२१)- ना देखलं कब्बो ब्रह्मा के।
    ना विष्णु के, ना शंकर के॥
    ना देखलं ऽ देवी-देव कबो।
    ना काली रूप भयंकर के॥

२२)- कारवईया बस भुन-२ कईके।
    कहलं ई प्राण प्रतिष्ठा हऽ॥
    ए भक-चोन्हर के का सूझे।
    ईनके मनमें बस निष्ठा हऽ॥

२३)- ऊ समझऊलं ई गईलं मानिऽ।
    मुर्ति में पईठल हवे प्रान॥
    झट चांपि दक्षिणा ई दिहलंऽ।
    उ कहलं बबुआ धरऽ ध्यान॥

२४)- हमके त असली रूपिया द।
देवतन के, भाव से खुश कईदऽ॥
सीधा-पिसान आ घीव सीब।
बाबा खातिन एहिजां धई द॥

२५)- हम भोग लगाइब, मेंहनत से।
तुहरे खातिर, सब देवतन के॥
तुहरो धन धाम भरल रहिहं।
विहंस मय नाती-पोतन के॥

२६)- ई धन्धा युग बनल रही।
आ ऊनकऽ बगिया फलत रही॥
बबुओ क जिनगी कांखि-२।
मरते दम भईया चलत रही॥

२७)- जब मरबऽ होई खेल खतम।
उनक कुछ पूजा बचल रही॥
फूंकवईहें श्राध्द में खूब माल।
बस चूल्हा चाकी पड़ल रही॥

२८)- तूं सुनऽ भागवत रोज-रोज।

नागा न करऽ, त बहुत खूब॥

बाबा के साथे, चेलन के।

सेवा में हर दम रह डूब॥

२९)- कहिं कईसे? मीठा जहर हवं।

तूहरे जिनगी पर कहर हवं॥

तू सोझबक बाटऽ का जनबऽ?

सब ले समेटि उहे लहर हवंऽ॥

३०)- ऊ जबर जोगाड़ बना कईके।

तूहरे कपार बईठल बाड़ं॥

चरका में माहिर खूब हवें।

वोही के बल पर अईठल बाड़ंऽ॥

३१)- शंकर के गटई हार बनल।

लटकेला जवन साँप भईया॥

उनक मन्तर विधान उ हऽ।

ए बात के तूं जनबऽ कहिया?

३२)- भोले?शंकर तूं ही बाऽट।
जानऽ एके कहिया जनबऽ॥
लऽ अऽपन ज्ञान कऽ आँखि खोल।
ई बाऽत मोर कहिया मनबऽ॥

३३)- सांपन के मत गहना समजझऽ।
मत ओऽकर अऊर सहारा लऽ॥
निज बेड़ा पार कईल चाहऽ।
एसे बचि के, तुरत किनारा लऽ॥

Lightning Source UK Ltd.
Milton Keynes UK
UKHW040943160223
417122UK00002B/384

9 798885 559997